KB171615

풍경이 있었던
마음

풍경이 있었던 마음

발　행 | 2024년 5월 14일
저　자 | 유경태
펴낸이 | 한건희
펴낸곳 | 주식회사 부크크
출판사등록 | 2014.07.15.(제2014-16호)
주　소 | 서울특별시 금천구 가산디지털1로 119 SK트윈타워 A동 305호
전　화 | 1670-8316
이메일 | info@bookk.co.kr

ISBN | 979-11-410-8492-9

www.bookk.co.kr

풍경이 있었던 마음

유경태 지음

유경태

대구대학교 재활과학대학원
재활심리치료학과 수료
(전)이야기치료 전문가
(현)법화경의 진리를 전달하기

차 례

1. 풍경들

3. 상담사의 시간

4. 정체성

나에게는
풍경이 있었던 마음자리가 있습니다.
그 자리는 좋았던 자리이기도 하고
어쩌면 너무 아파서 풍경 저편으로 넘겼던
자리일지 모르겠습니다.
그런데 그 자리의 풍경이 한 번씩 나의 마음에
말을 걸어 옵니다.
이번에는
그 기회를 놓치지 않고 잡고 싶었습니다.

1. 풍경들

이 집인가?

삶의 묘미로움은
이 집인가?
저 집인가?
또 다른 집이 있을꺼야!
기적은 우연히 오기에 찾았다는 생각과
같이하기 힘든 것 같아요.
나를
찾아온 집을 떠날 수 있다는 것이
삶의 묘미인 듯합니다.
지혜롭기를
지혜와 같이 할 수 있기를….

옳다고 합니다

어떤 사람은 항상 자신이 옳다고만 합니다.
자신의 생각이 옳아서 옳고
타인이 자기에게 말해주었으면 고칠 수 있어서
그래서 자신이 옳다고 합니다.
그렇게 옳다면 혼자 살아야 되는데...
그런데 자신이 옳다는 것은 받아들여야 하는
대상은 꼭 필요하다고 합니다.

한정성

규정된 한정성
행위는 언제나 능동적으로 규정하는 행위다.
한번 규정되어 있으면 굳어진다.
사물은 규정되어 있는 외현물이다.
어떤 경계를 벗어날 수가 없다.
용기를 내어 벗어나게 해보자.
이건 아니라고….

소통이라는 선물

기쁜 질문이 하나 있습니다.
그것은
어떨 때 몸이 힘드나요? 였습니다.
이런 질문이 서로 소통할 수 있는 대화의 시작입니다.
대화를 한다는 것은
상대방의 생각에 조금씩 적응을 해갈수 있는 기회가 됩니다.
그리고 질문을 받은 사람도
자기의 생각을 다시 살펴볼 수 있는 기회가 되기도 합니다.
소통이라는 선물 참 좋은 선물입니다.

길영이와 바닷가

길영이와 바닷가를 산책하다가
길영이에게 이렇게 말을 했답니다.
길영아
눈이 있어 볼 수 있어 좋고
귀가 있어 들을 수 있어 좋고
입이 있어 먹을 수 있어 좋고
코가 있어 향기를 맡을 수 있어 좋고
목이 있어 노래를 부를 수 있어 좋단다.
이 말을 들은 길영이가 그것도 그렇네…!

길영아 그런데
눈이 과도한 것을 보면 마음이 아프게 되고
귀가 과도한 것을 들으면 마음이 아프게 되고
입이 과도한 것을 먹으면 마음이 아프게 되고
코가 과도한 것을 맡으면 마음이 상하게 하고
목이 과도하게 사용되면 마음이 상하게 된단다.
이 말을 들은 길영이가 그것도 그렇네…!

편지를 받고

오늘은 무척 추운 날이다.
그 추위를 잊기에 알맞을 정도로
귀한 편지를
받았네.
그래서 그런가
힘이 생기네
맞구나!
우린
인간의 자리에 있는지라
이렇게
지지와 격려를
잊지 말아야 한다는 거
이 편지를 읽으면서
다시금 알게 된다.
혼자가 아니라
더불어 산다는 거
그리고 서로 사랑할 수 있는 기회에
사랑해야 한다는 거
정말 귀한 것 같다.

말들의 여행은 마음을 얼마나 담아낼 수 있을까?

우린 말들의 여행을 하고 있는 것 같다.
그 말이 일대일 관계로 의미를 전하는 것 같은
착각을 하기도 한다.
그러나 우리는
말이 생기기 전에
이미 많은 마음들이 오고 갔다는 것을 잊고 있다.
말 이전에 마음이 있었다는 것이지
갑갑하고
어지럽고
좌절하고
멍하고
그래서
말을 만들었는데
그 말이 마음 자체인 듯 여겨진다.

모르셨나 보네요.

씨앗은 열매이면서
열매 되기를 다시 기다리는
시간을 기다리는 열매입니다.
다시 열매가 되려면
땅속에 들어가야 해요.
다시 땅속에 들어가기까지는
힘들어요.
기다려야 되니까?
내 말 맞는 것 같지요.
음~ 맞다니까요.

생명

그 언저리부터 정수리까지
온전한 살아있음의 고향이었으면 좋겠다.

새는 날 웃는 모습으로

새는 날 웃는 모습으로 볼 날 있겠지!
그때는 기쁨이 가득한 얼굴을 하고는
욕심 없는 말과 마음을 나누어 보자.
우리에게 있었던 가슴 아픈 사연과 알음앓이가
보다 더 큰 사랑에 하나될 수 있도록
새는 날에는
반드시 웃는 모습으로 볼 것이다.

힘이 날 것 같아요

'좀 부끄러워요.'
그런데 이런 사람들 나뿐이 아니라고 말해주면
힘이 날 것 같아요."

흐르는 물처럼

잔잔히 시간이 흐르면
시간만이 흘러간 게 아니라는 걸 알게 됩니다.
때로 자신을 만나고
때로 자연을 만나고
때로 타인을 만나고
그래서 나에게 전하여져 있는 마음을 보게 됩니다.
이런 것이 양식이 되고
이 양식이 힘든 일들을 이겨나가게도 만들고
또 다른 창조를 하기 위한 준비를 하도록 하기도 하네요.
고맙습니다, 세상이여.
세상에 포함된 모든 존재님들이여.

솔개의 부리

부리를 바꿀 시간을 아는 위대한 솔개
자기를 거듭날 수 있게 하려고 했군
자기 자신을 건지기 위해서라도
자기의 익숙한 부분을 희생해야 됨을
솔개는 알았겠지!

(솔개의 부리 이야기는 우화라고 합니다.)

2. 사연이 있는

오늘 하루

작은 공간과
얇은 시간 속에서
가벼이 웃음을 보였던 것이
내 삶에 귀중한 추억이 되고
오늘 하루
행복할 수 있었음에
더없이 감사하고
내일 또 행복할 수 있음은
스스로에 대한
신뢰로부터 올 것이다.
며칠이 지난
먼 훗날에
오늘 하루를 되돌아보면
거기에는
아름다운 꿈이 있었네.
그래서
또 한 번
웃는다.

없구요

말 없는 가운데 말이 있고
행 없는 가운데 행이 있네.
지난 겨울밤 내린 함박눈이
여름 아침 마당을 적시네!

비 오는 날

하늘 보고 웃었더니
비를 한 바가지 더 부어주네.
묵혀 두었던 때를 씻었네.^^
그러고 하늘 보니
하늘도 같이 웃는다.

나의 스승님의 말씀

"나는 항시 남의 힘든 짐을 대신 져 주었고,
후(厚)하게 용서하였노라."
이렇게 남기신 당신의 마지막 말씀은
오늘도 마치 천둥소리처럼 우리의 가슴을 두드리고 있습니다.

그래도

그래도 좋은 일을 합시다.
그래도 사랑합시다
그래도 만들어 봅시다.
그래도 도와줍시다.
그래도 가진 것 중에서 가장 좋은 것을 줍시다.
이 모든 것들을 가능하도록 만드는 것은 즉
그래도를 가능하게 하는 것은 사랑이겠지요.

고향으로 돌아오라는 신호

마음이 본래 고향을 떠나온 지 오래인 것을 내가 아는 건
고향으로 돌아오라는 신호를
느끼기 때문이다.
때로 내가 느끼는 허무감이나 허탈 내지 무가치감이
고향으로 돌아오라는 신호가 아닐까!
이 고향은 죽음을 통해서 갈 수 있는 길이 아니다.
부처님이 증명해 주셨기 때문이다.
고향으로 돌아갈 방향을 잃으니
몸마저도 방향을 잃어버린지 오래다.
오욕락과 가깝게 지낸 지가 호형호제하는 사이가 되었다.
오욕락이 어쩌면 곧 고향으로 돌아오라는
끝없는 신호인지 모르는데
집착을 어느덧 둘도 없는 친구로 삼았다.
알고도 수행하지 않느니
나 스스로 안타까워할 뿐이네!

그래 그럼 된 거야

그래 그러면 된 거야
여기서부터 또 앞으로 가는 거야
여행을 시작하는 거지!

세상의 삶을 경험해 보면서

경험해보니
환경 가운데서 목적이 생기고 목적을 이루는 것이 의지이다.
따라서 의지가 종속변수임으로 가장 영향을 많이 받는다.
따라서 나에게 의지가 있음을 상대에게 계속 보여 주어야 그 사람이 나의 의지를 알 수 있다.
왜냐하면 그 사람의 환경이 변함에 따라 목표와 의지가 바뀔 수 있음으로 내가 어떤 의지를 가지고 있는 것을 잊어먹을 수 있다.
그리고
아닌 줄 알면서도 하고 있는 행동이 있다.
왜 그럴까?

열린 결말이야말로 공감할 수 있는 현실이다

상담자: 상담을 받아 가면서 알게 되었거나 유익했던 일이 있었습니까?

내담자: 나는 살면서 결과가 나와 있어야 그것이 좋은 삶인 줄 알았는데 열린 결말이야말로 공감할 수 있는 현실이라는 것을 알게 되었습니다.

강물아 너에게는 그것이 최선이라는 걸 아버지는 안단다. 그리고 너는 해내었단다. 아버지는 너의 선함과 진실한 마음과 정의로운 성품을 믿는단다.

어려운 시기에 스스로 해결해 낸 너의 결단과 실행을 아버지는 이해한단다.

너의 삶이 앞으로도 너 스스로에 의하여 풍요롭고 행복해지길 기도한다.

언젠가 너와 학원을 마친 저녁에 걸어오면서 한 말 "아버지는 너에게

유능하기보다는 따뜻했던 아버지로 기억되고 싶구나."

라고 했는데 지금도

그렇다.

아침 바람

이 아침 얼굴에 와 닿는 바람이 싱그럽습니다.
바람을 비집고 들어온 햇살은
더없는 선물인 듯합니다.
이쯤 되니 셈이 있는 곳의 시냇물 소리도 귓가에 있는 듯
시원하게 들립니다.
전 여유가 뭔지 알게 되었는데 그건 마음을 담을 수 있는
그릇이 아닌가 합니다. 이만 총총

공유와 공유의 확장

공유
첫째는 7시간
둘째는 3시간
셋째, 넷째 다섯째는 1시간
나는 50분
첫째는 어떻게 긴 시간 같이 있을까?
스스로 답을 찾아보니
사랑도 미움도 애잔함도 분노도 깊은 절망도
같이 공유할 게 많았던 것 같다.
시간의 길이만큼의 사연이 있는 건 아니겠지만
죽음을 앞에 둔 이와의 사랑과 관심의 공유는 저마다
다를 것 같다.
나의 삶을 관계된 삶까지 연결해보면 사랑과 관심은
또 다른 의미로 다가올 것이고 나는 사회적 삶 앞에
자연스럽게 놓인다.
삶을 확장하여 살아볼 일이다.
(요양병원에 입원한 어머니와 같이 한 시간의 길이)

그리움

의사와 환자에 대하여 전해들은 이야기에
제목을 달아서 한 줄 적어봅니다.
한 달에 한 번
검진을 받는다.
추석이 내일인데
오늘 수술해준 선생님이
너무 보고 싶고 그립다.
무조건 병원에 가서 접수를 하니
선생님은 수술 중이라 한다.
그리고 접수는 마감이 되었다.
그래도 하염없이 기다리고 있었다.
큰 수술을 받았던지라 병원 관계자들은 모두
이 환자를 알아보는데
어떻게 오셨어요? 라고 묻는다.
진료를 보러 온 게 아니라
선생님을 만나러 왔어요.
아~예 수술 중인데...
시간이 흐르고

병원 직원이 제일 먼저 이분 앞에 그 의사 선생님을
모시고 왔다고 한다.
너무도 반가운 만남이 있는 시간
무엇이 이렇게 아름다운 시간을 만들까!
아마도
누군가에 대한 그리움의 힘은 상상을 넘어 있는 것 같
다.

다람쥐

고모부는 다람쥐를 닮았어요.
모두 해서는 안 되는 말을 했다는
표정으로
조카를 바라본다.
대학생 조카는 내가 못 할 말을 했나!
싶어서 너무 억울해한다.
왜 그 표현을 했는지 형제와 자매들은
궁금하지 않고
고모부의 눈치를 살피기 바쁘다.
너무 미안한 마음으로
그러나 조카는
내가 왜^^ 내가 뭘^^
나는 단지 고모부의 성격이 다람쥐처럼
누구에게나 호감을 주고, 용기를 주는 것 같고
더욱이 어떤 말을 해도 잘 들어 줄 것 같아서
내가 할 수 있는 가장 정중한 표현인데
그 말의 의미를 알게 된 형제자매들은
그러나 여전히 '그래도 그 표현은 아니지 않나'라는 생각들이다.
그 조카의 다람쥐라는 표현으로
잠시나마 기쁘함의 시간을 같이한 것의 귀함은 자기 가
치를 부여받지 못하고.
나는 조카의 상상력에 나의 상상력이 좁음을
아쉬워했다
조카의 상상력
그건 삶의 매력이겠지!

노후 준비

70을 드신 어른이 이렇게 말했다.
젊었을 때 노후 준비를 할 걸 그랬다.
지금 생각하니 후회가 된다면서
아쉬움 가득한 표정으로 말했다.
60을 드신 어른이 노후 준비도 쉬운 게
아니다면서 먼저 남는 돈이 조금이라도
있어야 할 수 있으니 쉬운 일이 아니라면서
위로를 건넸다.
50을 드신 분이
내 친구는 노후 준비를 너무 잘했다고
말하니 모두 궁금해하면서 물었다.
내 진구는 노후 준비를 위해
조금 빨리 이 세상과 이별했다고 말했다
친구가 세상을 달리한 지도 두 달이 되어 간다.
보고 싶다.
노후 준비란 말에
정말 호탕하게 살다 간 내 친구가
깊이 마음에서부터 그립고

보고 싶다.
친구 그쪽 세상은 어떤가!
나도 노후 준비는 안 할 걸세.
덕을 조금 쌓아놓고 갈 생각이네
잘 지내고 계시게나!^^

시민이 피해를 입으면 안 된다

태양광 사업 투자 광고를
보았다.
투자하면 월 3백을 벌 수 있다고
한다.
그들의 계산이 맞을 수 있겠지!
그런데 그 계산의 기준들이 임의적인 것이다.
어찌 되었건
시민이 그런 광고로 피해를 입으면 안 된다.
사기는 성급한 마음에 언제든 당할 수 있지만
우리는 사기를 당한 사람의 성급함을 비판하기보다
사기를 치기 위한 이들을 걸러낼 장치들을
더 심도 있게 생각해보면 좋겠다는 생각을 해 본다.
어쨌든 선량한 시민이 피해를 입으면 안 되는 것이기
때문이다.

발걸음

발걸음의
차이
한 번
알아볼까?
학교 앞에 있는
문구점 갈 땐
가볍고
빨라서
금세 도착
그런데
학교 앞
학원 갈 땐
무겁고
느려서
느릿느릿
문구점 갈 땐
날개 달린
내 발

학원 갈 땐

돌덩이 달린

내 발

초등학교 3학년의

시가 너무 좋아 적어봅니다.^^

변덕쟁이

초등학생의 시가 너무 좋아서
적어 봅니다.
변덕쟁이
하늘은 변덕쟁이이다.
하루는 엉엉 울고
하루는 추워서
얼굴이 새파래지고
하루는 부끄러워서
얼굴이 빨개지고
하늘이 눈을 감으면
세상이 까맣게
물든다.
참 아름다운 시라는 생각이 듭니다.
초등학교 3학년 어린이에게 축복이 가득하길.

그 감^^!

한 여인이
서성거린다.
시선이 사과에 머문다.
그리곤 이내 감으로 온다.
지그시 생각에 빠진 듯
손은 이미 한 바구니 담긴 감
쪽으로 향한다.
그 감 맛이 있을까?
답할 수 없다.
언젠가 인가!
무엇이 먹고 싶으세요? 하니
시원한 대구탕 한 그릇 먹고 싶어요.
옆에 있던 나는
그렇게 먹고 싶은가!
그런데 나중에 들은 이야기는
그 한 그릇을 드시곤
세상을 다 얻은 표정을 지으셨다고 했다.
아마

그 감도 그 여인에게는
세상을 다 얻게 하는 건지도 모르겠다.
세상 살아감에
가벼이 여길 게 없는 것 같다.

풍경

웃는다, 기다렸다는 듯 마주 보고 웃는다.
안는다, 마주 보고 안는다 그랬던 것처럼
이야기한다, 자연스런 일상인 듯
몇 정거장
약속된 듯 따라 내린다.
새벽· 버스에서의
버스 안 풍경은
세상 삶에 조용히 참여하게 한다.
조금 있으면
자갈치로 향하는
앞치마를 두른 할머니의 승차를
예측한다.

그것 참 그런가!

그대는 어떻게 생각하는가?
라고 물은 것은
의견을 물은 것이 아니라
이렇게 생각해야 하는데 왜 그렇게 생각해
그러니 이렇게 생각하라는 뜻이다.
라고 하기에
그것 참 그럴 수도 있네.
하고 생각했습니다.

그대가 준 꽃

그대가 준 꽃 바라보았네.
시든 꽃 다시 필 때까지라는
어느 시인의 시구절에 감동을 받은 동생
그런데
언니가 동생에게
시든 꽃이 다시 필 수 있나? 라고 물으니
동생이 정말 빡친다며
언니는 뼛속까지 이공계네라며
언니의 무미건조한 정신세계를
높이 평가해주었다고 합니다.

모두들 건강하세요

제목 : 생각과 나

지은이 미상 시인

그대 그리워지면 눈물이 흐르고 있어

해지고 떠오른 달마저 진 시간

그대가 그리워지면

서러운 눈빛으로 전하는 말 있어.

나 그대를 더욱 사랑하노라고

그러나 그대의 말들은 내 말인데도

이렇게 긴 시간은 전율 속에 떨려서 왔고

사랑하던 추억이 헤어지면

나 그대를 더욱 사랑하게 될 거야.

나를 보고 싶어 하는 친구가 나에게 보내온 시에

친구의 마음이 고서라니 묻어 있습니다.

그래서 한 번씩 읽게 됩니다.

나와 너 그리고 또 다른 이

그러고는
우리가 좋아하지 않은 것처럼
답이 없구나!
하하
하늘은 그 햇빛을
조금씩 거두어 가는가 보다.
시원한 바람 한 줄기가 공간의 틈을 뚫고
내게로 와서 "네가 옳다."고 말해주고 간다.
나는 자연의 목소리에 귀를 기울이면서
내 삶의 지향에 고개를 숙여 본다.
생각이 다른 사람을 만나고 온 친구를 위로하면서 적어 본 시입니다.

감사

뜨앵큐^^
점심을 지나 오후로
겨울을 지나 봄으로
우수가 내일 모래
이렇게 또 봄이 왔다.♪♪♪

보이진 않지만...

하루는 아파서 병원에 갔는데
의사 왈
밥을 먹으려면 밥을 먹을 수 있는
힘이 있어야 된다는 거라^^ㅋ
그런데
이게 내게는 예사롭지 않게 들렸어
그 참! 그렇네라고 생각하면서
돌아서 집으로 가는데
세상일들이 다 그렇구나! 라는데 까지 미치게 되더라.
보이지 않지만
우리들 곁에 늘 있었던 것들이 있었어.

그게
사랑, 용기, 위안, 따뜻함
물론 이런 걸 알뿐
실천해 내지 못하는 아쉬움이 있지만...
아무튼
우리들 곁에는

나무도 있고, 바람도, 흐르는 물소리도 있나니
삶이 한가로이 흐를 것입니다
랄랄라

랄랄라

장미가 예쁘게 피었습니다.
계절은 이렇게 있음의
풍요로움을
자연스레 일러주는데
사람은 저마다 풍요로움을
잊은 체
상처를 만드는 시간을
더 쉽게 경험하는 듯하네.
친구는 장미처럼 풍요로움이
가득하시길^^
그리운 마음으로

세월의 얼굴

이제야 알겠다.
세월의 얼굴이 어떻게
생겼는지를
나의 형제의 얼굴 뒤에 숨어있었고
내 친구의 뒷모습 뒤에 숨어있었고
내 자식의 말투 뒤에 숨어있었고
피고 지는 꽃잎 뒤에 숨어있었다.
나는 뒤에 숨어있는 모습을 보았다.
아픈 모습도 있었고
슬픈 모습도 있었고
놀란 모습도 있었다.
모두가 세월의 얼굴이었다.
헛되이 지나친 시간들이 아니었음을
세월의 얼굴을 보고 난
다음에 알게 된 것이다.
조용히 앞모습을
보여도 될 듯하네!

3. 상담사의 시간

그러면 지렁이는 틀렸단 말인가?

어제는 비가 내렸다. 오늘은 습기 차고 보슬비가 내린다. 땅속에 있는 지렁이들은 세상 구경을 하고 싶어 안달이 났다. 그 중 용기 있는 한 놈이 '그래, 이렇게 살다 가기엔 너무 아쉬워. 나는 모험심도 강하고 호기심도 많은데 이런 나의 성향들을 충족을 시켜 봐야겠어'라고 생각을 하고는 짐을 챙겨 세상 구경을 하러 땅위로 나왔다. 더없이 맑고 향기로운 습한 세상의 기운이 지렁이에게는 더없이 좋았다.

그런데 '어라~~~~~ 헐'

점점 습기가 그치더니 사람들이 좋아하는 맑은 날이 되고 있었다. 보슬비도 멎어가고 햇님의 빛은 뜨거워져 갔다. 지렁이는 빨리 피신을 하려고 안간힘을 써 보지만 그의 고향 땅 속은 멀어져만 가고 있었다. 어느덧 기력이 딸려 쓰러져 버렸다. 예상치 못한 날씨 변화로 지렁이는 점점 죽어가고 있었다.

이런 지렁이를 보고 지나가는 사람들이 한마디씩 하였다.

“그냥 땅속에 있지 왜 땅 밖으로 나와 스스로 목숨을 재촉하노!”
“어리석다. 어리석어.”
“자업자득이야.”

그러면 지렁이는 틀렸단 말인가~~~~?
① 소풍 나온 지렁이가 틀렸단 말인가?
② 불쑥 나온 해가 틀렸단 말인가?
③ 계속 내리든 비가 그친 것이 틀렸단 말인가?

사람은 가끔

사람은 가끔
자신 보다 남을 더 사랑하려고 덤벼들면서
자신의 삶을 돌보지 않으려 합니다.
가정폭력을 돌아가실 때까지 하신
아버지가 어린 시절 자신에게 준 빨간 사과를
떠올린 60대가 된 어느 시인이
'아버지도 나를 지극한 마음으로 사랑하셨구나!'라는 생각을 하게 되고 돌아가실 때까지 행한 가정폭력을 용서했다는 강연을 들었을 때 자신 안에 있었던 사랑을 60대에 발견하고도 타인의 사랑이 더 소중했다는 듯

그래서 한 번도 자신 안에 있었던 사랑을 나누어 보지도 못하고
그 사랑을 아버지의 폭력을 용서하는데 사용한 이 시인

사랑은 폭력을 용서하는 것에 있지 않습니다.
이렇듯 자신을 돌보지 않는 모습에서
타인도 소중하지만 우리 자신의 삶, 즉 내 삶이 귀하기

때문에
타인의 삶을 귀하게 여기는 것이지
내 삶을 돌보지 않으면서 타인의 꿈과 소망을 이루게 해주는 것이 숙명인 듯 생각하면 착각입니다.

사람은 각자 자기의 몫이 있습니다.
자신의 자기 몫을 잘해나가는 것이 곧 타인을 사랑하는 것입니다.
희생을 숭고한 것으로 미화시켜
개인의 삶의 의미를 없애버리면 안 됩니다.
개인도 당연히 자신의 몫이라 여겨 공동체와 타인의 삶을 희생시켜서는 안되는 것처럼...
먼저 자신의 삶을 사랑해야 합니다.

소통을 위한 연습

1. 멈추세요. STOP
2. 이것을 보세요. LOOK
3. 무엇을 말하나 들어보세요. LISTEN
4. 마음으로 느껴보세요. FEEL
5. 그리고 대화를 해보세요. MOVE
6. 다시 걸어갑시다. GO

자 그럼 이 6단계를 같이 해볼까요?

기쁨 오빠의 슬픔을 위한 에니메이션입니다.

감독: 기쁨
주인공: 슬픔
출연진: 사랑 언니. 상담 선생님
숨은 주인공: 삐까츄

슬픔이란 작은 존재가 항상 다른 문을 노크했어요. 왜냐하면 다른 사람의 마음을 확인하기 위해서 ...

그런데 그 문들이 열리지 않았어요.
그래서 다른 문도 노크해보고 혼자 외롭게 시간을 보냈어요.
그런데 어느 순간
문이 열렸는데 슬픔이는 이 문이 너무도 반가워서 그 문을 단박에 열고 들어갔어요. 그런데 그 문을 열고 들어갔더니 너무 어두웠던 거예요.

어두워서 나가고 싶은데 너무 깜깜해서 문도 못 찾겠고...

어쩔 수 없는 어리둥절함에 쳐해 있어도 그러나 슬픔이가 가진 그 선한 마음은 깊이 간직한 채로 흐르는 시간을 견디며 어둠 속에 있었어요.

그런데 이제는 기쁨 오빠와 사랑 언니가 이 문을 나오게 했어요.
기쁨 오빠는 이렇게 슬픔 동생에게 큰 위안과 지지를 줍니다.

그런데 노크라는 용기가 필요합니다. 이미 누군가에게 슬픔이는 수많은 노크를 하면서 상처를 받았습니다. 그런데 이제 선생님도 있고 오빠 기쁨도 있고 언니 사랑도 있습니다. 이같이 하는 사람과 좀 더 많은 용기를 내어 주면 좋겠습니다.

일관되게 유지된 슬픔님의 생각은
"나의 따뜻한 마음이 정말 세상 속에서 관계를 맺고 서로 소통을 하고 싶다."

그래서 이렇게 결심했습니다.
스스로 내 존재 가치가 이렇다는 것이 내가 행한 행동들이 타인과의 관계 속에서 사랑과 관심으로 확인될 때 이것이 내 존재의 가치가 거룩하구나! 라고 여기고 나의 가치와 관계가 되지 않는 사람은 그 사람은 나와 관계가 없는 사람이라고 생각하는 자존심이 내게 늘 있었다.

이야기 치료 선생님 적었습니다.

상담사가 내담자를 두고서

1. 짜증이 자꾸 나면 관심을 받고자 하는 것이고
2. 권위에 도전 의식이 느껴지거나 승부욕이 발동하는 것을 보면 권력욕을 가지고 있는 것이고
3. 분노와 섬뜩함 화가 나는 경우는 복수심을 가지고 있으며,
4. 과제를 주어도 해오지 않거나 해도 안 되거나 답답함이 느껴지거나 상담사가 무력감이 느껴지면 내담자가 무기력하거나 회피 수단을 찾고 있다고 보면 된다.

사람의 마음이 이렇게 상관관계를 이루고 있다는 것은 놀라운 일 입이다.

갈매기를 보고 적은 중학생의 시상

갈매기
얘야 얘야
바다에서 헤엄치는 저 갈매기들을 보라
사람들에게 해를 많이 받아서 예민해졌노라
바다에 풍기는 탐욕스러운 비린내에서
버티고 버티고 또 버티면서
자신의 길을 가려고 하노라
더러운 때들을 자신의 힘으로 만들었노라
얘야 얘야
하늘에서 날아댕기는 갈매기들을 보라
사람들에게 사랑을 받아 빈둥거리노라
하늘에 오만함과 풍요로움을 느껴지는
공기에서
느끼고 느끼고 느껴
자신들을 바라보고 세상을 잘 살기 위한
듬직함이
이 얼마나 아름답고 멋있노라!

법 앞에서 카프카

법 앞에 한 문지기가 서 있다로 시작하는 카프카의 법 앞에서라는 글은 "이곳에서는 너 이외에는 아무도 입장을 허락받을 수 없어. 왜냐하면 이 입구는 단지 너만을 위해서 정해진 곳이기 때문이야. 나는 이제 가서 그 문을 닫아야겠네."로 끝을 맺는다. 너만을 위해서라고 한다.

그런데 그 '너 이외'에서 그 너가 내가 아닌 것 같다는 생각을 하게 된다. 사실 나인데. 우리는 공동체를 이루어 살아간다. 법이 존재하는 것도 공동체 속에서 살아가고 있다는 것을 증명하는 것이다. 그런데 법의 긍정성보다는 법의 부정성에 더 길들여져 있는 것인지 모르겠다.

법은 공동체의 선을 위해 존재하는 것인데 어느덧 법의 피해자가 되지는 않을까! 하는 불안을 법이 우리에게 갖도록 하는 것 같다. 그것은 문지기를 통해서 그렇게 생각이 되어지는 것이다. 우리 마음 앞에 나도 모르게 문지기를 세워 놓았다면 어떻게 될까? 그 문지기가 나의 삶을 망설이게 만들지 않을까? 심리적 상처들 외상들 이런 아픔들이 내 삶의 문지기가 되도록 하지 말아야겠다.

존재 앞에서

시간은 가고 생각은 남고
시선은 존재의 물음 앞에 내몰린다.
여기서는 답이라 할 수 있는 가장자리에라도 걸터앉고
싶어서
온종일 존재를 바라본다.
카프카의 "법 앞에서"의 글을 패러디해 봅니다.

세상에서 힘든 일 중 하나입니다

내가 언제까지 상담을 받아야 하는가? 로 힘들어하시는 것은 동의합니다. 일주일에 한 번을 마치 의무적으로 받아야 하고 시간을 고정시켜야 하니 내 일이긴 해도 나의 마음이지만 받아들이기 힘이 듭니다. 고통스럽기까지 하지요.

그러나 상담을 받아 조금이라도 유연해지고, 관계에서 오는 매끄럽고 자연스러운 편안함, 자신이 하는 일에 대한 자부심 등으로 내 삶을 만들어 가게 된다면 상담은 내 삶의 일부라 여겨집니다.

좋은 상담자를 만나야 하겠고 그러면 남의 도움을 받아 내 삶을 완성시켜가는 것은 좋은 일이라 봅니다. 남의 도움을 내가 가져와서 내가 행복하게 나답게 살아갈 수 있다면 그게 자연스럽고 좋은 것이라 봅니다.

"상담을 평생 받아야 되나!"라는 말이 있습니다.
이 지구에 도움을 받지 않고 사는 사람과 동물은 없습니다. 나의 경우 만약 "도움을 받아 잘 될 수만 있다면 나는 즐겁게 도움을 받고 싶습니다.

상담이 무어냐고 물으신다면!

삶은 언제나 같은 일을 다른 모습으로 나타나게 하는 것 같다.
이걸 아는 데는 꽤 시간이 걸리는 것 같고
그런데 그런 것들이 모습이 다를 뿐 같다는 것을 알아차린 후에도
역시 이런 다르지만 같은 것을 다루어 내는 것에도 시간이 걸리는구나를 알게 되기까지 또 시간이 걸린다.

그렇다 하더라도 포기할 수 없게 하는 것은
결국 나다운 삶을 살아야겠다는
자신 안에 있는 생명력에 귀를 기우리고 있는
나 자신에 대한 신뢰 때문이지 않을까!
나를 찾아가는 길은 중단 될 수 없는 자신만의 고유한 숙제인 것 같습니다.

보이지 않았는데 자라고 있었다

아픔이 기쁨과 같이 있는 것일까!
기쁨이 자기 나름의 이야기를 하지 못했던 것일까!
오랜 긴 세월
삶이 묻혀버린 장소는 다름 아닌
관계 안에 있었다.
한쪽은 늘 외면당하고
한쪽은 늘 아파하는데
다른 한쪽은 늘 굳굳하고
다른 한쪽은 늘 당당하다.
그래선 안 된다.
굳굳하다니
당당하다니
그래선 안 된다.
그래서 외면과 아픔이
사랑의 도움을 받아
땅을 딛고 땅을 느끼고
그리고 자신을 느끼면서
조금씩 조금씩 보이지 않은 성장이 있었음을 증명한다.

분노를 다루고
미움을 다루고
그리고
사랑을 유지한다.

알겠어요^^

무엇을 알았어?
쉽게 되는 것은 아니라는 것을 알았어요.
그렇구나!
그렇지만
알았다고 해서 무엇을 준비해야 하고
어떻게 경험해 나갈 것인가에 대한 생각이 저절로 떠오르지는 않는단다.
왜 그럴까요?
저는 그럴 것 같은데요.
의지가 생겼겠지.
준비할 자격과 경험할 자격을 갖추었다고 보면 더 좋지 않을까?
긴장하지 마시게 선생님 생각이야.
너는 항상 잘해가고 있어
작은 성장도 더없이 귀한 시간이기에
기록해 봅니다.

사랑

사랑
이미 가벼운 말이 되었다.
좋은 밥
맛있는 커피
비행기를 탄 여행 속으로 사랑이 들어가 버린 느낌이
다.
다시 불러내려 한다.
인간의 고귀한 정성과
인사하게 하려 한다.
그러나
사랑 참 난해한 실천이다.

힘내세요

힘내세요.
힘이 마음 안에 있어요.
그것은 자신의 삶에 대한 사랑입니다.
힘내세요.
힘이 원래 있었어요.
의식하는 나만 몰랐을 뿐
힘이 나를 살아가게 하고 있어요.
힘내세요.
나에게 있는 것이라
그냥 힘내면 돼요.^^

비와 우산에 대한 사색

비가 옵니다.
그러나
맞으면 안 됩니다.

우산도 있고
비옷도 있습니다.
전에는 오는 대로
맞아야 되나?
하고 생각했을 수 있습니다.

하하
그럴 필요가 없습니다.

그럴 필요가 없다는 게
너무 당연한 시간이
되었습니다.
그렇지요^^

당신의 이야기에 나는 무엇이 아쉬울까요?

한 사람이 자신이 사귀다 헤어진 친구에 대하여 이야기를 했다.
그 사람은 헤어진 사람에 대하여 7가지 아쉬운 점을 이야기했다.
자신이 해줄 수 있었는데 못 해준 것들과
굳이 그 사람이 내게 그렇게 해야 했는가? 등등
이야기를 다 들은 나는
그 사람에게 말을 건냈다.

그런데 왜 저는 당신의 이야기에 대하여 아쉬워할까요?

나의 아쉬움은 당신 이야기의 어디에서 올까요?
한참을 생각하더니 아마도 제가 그 사람을 사랑했다는 말을 하지 않은 것 아닌지요?

그래요

어쩌면 당신은 그 사람의 어떤 부분을 무척 사랑했을
겁니다.
그리고 마음이 아플 겁니다. 너무 자연스러운 귀한 정
서이니
아픔을 귀하게 여기면 좋겠습니다.

그런데 의외의 한마디를 들었습니다.
그것은 마음에 대한 이야기였습니다.
그러면 사랑과 고마움은 어떻게 다를까요?
그리고 우리는 상대의 좋은 면과 어떻게 관계를 맺으며
가야 할까요?

이해한다는 것

책을 한 권 주문했다.
들뢰즈와 시간의 세 가지 종합이다.
앙티오이디프스를 읽다가 도저히 이해가 되지 않아서...
혹 다른 사람은 어떤 관점에서
시간의 3가지 종합을 읽어 내었는지 실낱같은 희망에
기대면서

아무튼
누군가를 이해한다는 것은
사실 너무 힘든 일이다.
섣불리 도전하지 않아야겠지만
때로 섣불리 도전해가면서
경험해 가야 할 것 같다.

이렇게 도전해가지 않으면
결국 자신이 생각하는 관점으로만 세상을
살아가게 되지 않겠나!

어느 정도 상처를 안을 준비를 하고
새로운 만남에 마음을 내맡겨 볼 생각이다.
책이 도착하면 그런 마음으로
읽어 나갈 생각입니다.

책이 도착했습니다.

들뢰즈와 시간의 세 가지 종합
책이 왔습니다.
역시 어렵습니다.

그래도
몇 가지 건졌습니다.
누군가의 이야기를
누군가 조금 더 보태서 이야기한다는 거
이거
복 받을 일인 것 같습니다.

읽은 것 중에서
많이 이해된 것이 생기면
한 번씩 적어볼까 하는 생각이
있습니다.

생동

시간은 그냥 흐르는 게
아니다.
무엇을 가지고 흐른다, 무엇을
무엇을 가지고 흐를까?
원형이다.
무엇으로든지 변화될 수 있는 원형
그리고 그 중심에 에너지가
있다.
생동이 곧 에너지일 것이다.

트라우마

몸으로 인하여 마음 깊이 새겨진 상처
잊은 듯하면 어김없이 체험을 강요시킨다.
그렇다고
외면할 수 없다.
외면할 수 없다.
살아갈 삶을 위해서...

아프다는 것

아프다는 것
이것은 신호이다.
어떤 신호인가?
아픈 사람은 외롭고
아픈 사람은 의기소침하고
아픈 사람은 괜히 미안하고
아픈 사람은 미래를 보지 않는다.
물론 아픈 것의 종류가 너무 많겠지만
하고 싶은 말은
아픈 사람을 바라보는 자의 마음이 어떠해야 하는가에 대해서
몇 자 적으려 했는데 ...
아픈 사람을 바라보는 우리는 기쁜 얼굴로 위로해야 한다.
위로라기보다는 같이 함의 신호를 보내야 한다.
좀 더 큰 소리로,
좀 더 환한 웃음으로
좀 더 큰 몸짓으로

좀 더 적극적으로
아~ 약 내가 사오겠습니다.
아~ 빨리 병원에 갑시다.
아~ 당신을 위해서 쇼를 진행할 수 있어 기쁩니다.
그러나
아픈 이에게 기대할 것은 없습니다.
아픈 사람은 아픔에 못 이겨 계속 아파 있기 때문입니다.
그래도
아~ 그 약 내가 신나게 사오겠습니다.
즐겁게 기다리고 있으면 됩니다.
라고 따뜻한 여운이 있는 미소를 남기고
빨리 약국으로 달려가면 됩니다.

시간과 열매

시간은 나와 무심히 흐르는 듯해도
나는 어느
순간순간마다 시간 속에다
나의 열매가 될 기미들을 숨겨놓았다.

그늘과 그늘들

삶의 그늘 그늘들을 넘어서려니 힘이 든다.
사기꾼이 사기 치지 않기가 힘들 듯
착하고 배려 있는 성품이 남에게 희생당하지 않기가 너무 힘이 든다.
각자가 가진 고유성이 좋기는 하겠으나
그것으로 상처받고 상처 주는 일이 없었으면 좋겠다.

슬픔과 슬픔을 바라보다

어찌할 수 없는 슬픔을 경험할 때 어떻게 할 건가?
슬픔이 고통이다.
슬픔이 아픔인줄 알았는데 그래서 그 아픔을 성찰의 기회로 삼았는데
슬픔은 고통일 수 있다.

이 고통이 외상이 될 때
슬픈 정서는 어찌할 수 없는 것이 되는 것 같다.

이것을 어찌할 것인가?

사람과 신념

지배 강압 통제적인 사람이 있다.
그런 사람은
왜 안 했는지를 이야기하면서 상대방에게 죄책감을 불러일으킨다.
그래서 왜 안 했을까를 다루어야 한다.
자신도 할 수 있다는 신념과 믿음이 생겨나는 내면화가 필요하다.
자발적으로 할 수 있다는 것이 필요하고
정도로 살아야 그렇지 않은 사람에게 당당할 수 있다.
사람은 정도를 걷는 것이 내면화되어야 당당할 수 있다.
나쁜 가르침에 엮여서 자발성이 떨어지면 안 된다.
사람을 불쌍히 여겨 동정하는 것보다 긍휼히 여겨야 권력관계를 만들지 않는다. 따라서 긍휼함을 다루어야 한다.

그리고 어떤 사람은 자신을 불쌍하게 여기기 때문에 만약 다른 사람이 떠난다면 잡지 않는다. 자아가 취약하여 자신이 비참해지고 외로워진다.

자신을 불쌍하다고 생각하는 사람이 있다.

이 사람은 자아가 취약하여 불쌍함을 들여다보지 못한다.

그래서 자기 죄책감으로 남에게 덮어 씌어 버린다.

그래서 타인의 잘못을 고쳐주려 하는 게 곧 그를 떠나게 하는 것이고 혼자 남게 된다.

선택의 고유성

우리에게 있어서 고유성
선택은 인간이기에 가능하다.
그럼으로써 오는 선택의 자율성으로 인한 자신들의 고유성이 생겨난다.
자신의 고유성은 타인과 어울리지 않는 범위가 생겨날 수 있다.
이때에 개인은 이 고유성의 정체성을 잘 알아차려야 한다.
그래야 타인에게 휩쓸리지 않고
고유성에 발판을 놓고 자기다운 행위를 해갈 수 있다.

힘든 세상과의 동거

세상을 사는 건 힘이 듭니다.
왜냐하면 내가 알고 있는 것을 벗어난 일들을 만나기 때문입니다.
내가 생각한 것들 안에서 이루어지면 좋은데 그렇지가 않지요.
그러나 모두 없는 것 가운데 생긴 것이니 그리 어려울 것도 없습니다.
몸은 기운에 의지해 있는데
이 의지해 있다는 것이 왜 중요할까요?
뒷배가 된다는 것입니다.
이 우주가 나의 뒷배입니다
겁나고 두러울 게 없습니다.
개도 주인을 의지할 때 용감해지듯
기운이 내 뒷배인 것을 알면 용감해집니다.

아이가 세상을 보는 시간을 시작하다.

한 아이를 오랫동안 보아 왔는데
어느 날 나는 이렇게 물었습니다.
요즘 공부는 어때? 수업 시간에 선생님의 이야기가 어떻게 들려?
지금은 집중하는 게 쉬워졌어요.
선생님이 가르치면 다 듣고는
그러면 저것을 나는 어떻게 이해하면 되는지 생각하게 되요.
그래 야~ 이건 엄청난 건데
말을 한 너도 이것을 이해하는지 보자
내가 이렇게 이야기를 시작할게.
철수는 48×3=144인 것을 압니다.
영희는 모릅니다.
민경이가 비난을 합니다.
영희는 못하면 어때서라고 말했습니다.
이 이야기를 어떻게 이해해?
아이는 말이 없었다.
그리고 10분 정도 지난 뒤 이렇게 말했습니다.

곱셈을 잘해야겠어요.

그래 맞다 잘하네

너는 참으로 위대한 생각을 해내었다.

그리고 나는 너의 이야기에 큰 감명을 받았단다.

이야기와 이해를 통해서

아~ 사람은 다 자기 방식대로 살다가 가는구나?

이 방식, 이게 어떻게 생기게 되었을까?

아이에게 감사한 마음이 아직도 남아 있습니다.

아마도 이 아이는 위대한 철학자가 될 것 같습니다.

아이에게 우주의 축복이 가득하길...

마음과 바람 그리고 사랑

마음에 어떤 구심점 같은 것이 자리를 잡아야
그것을 바탕으로 생각하고 행동하고 힘든 게 있어도 견딜 수 있는데,
너무도 많았을 심리적 상처들이 이 자리를 대신 채우고 있으니
항상 마음에 바람이 붑니다.
부는 바람을 잠재울 수 있는 건 따뜻한 사랑이 아니면
바람 자체가 어떤 이유로 그쳐주는 것인데
바람은 통제할 수 있는 게 아니니 참 속수무책으로 아이들의 마음은
바람에게 당하게 됩니다.

특별히 귀한 사람

삶이 흐른다고 말하면 거창하나.
그러지 말고 내가 살아가는 시간이라 하면,
나의 위치가 정해지지 않을까!
삶은 흘러가는데,
잘못하면 거대한 삶 안에 내 시간이 존재하면
순식간에 내 시간이 삶에 휩쓸려 흐르기 쉽습니다.
다시 말해 잘못 생각하면 나와 삶을 같은 것으로 생각하기 싶습니다.
사실 나와 삶은 동격이 아닙니다.
삶은 다양하고 나는 특수하기 때문입니다.
내 삶은 나의 특별한 생각과 행동으로 이루어져 있기 때문입니다.
특히 자신을 귀하게 여겨야 하는 사람을 위해 이 글을 적었습니다.

삶

찬 바람이 불어오는
공간 너머에
새로운 생명이 거처하고
있는지 모르겠다!
우리는 항상 있는 이 자리에서
꿈꾸고 있지만
꿈은 이 자리 너머에서
건너오는 건지도 모르겠다!
마치 한계가
나에게서 시작한 것 같아도
알고 보면 나와 다른 것과의 관계로
인해서 생겨나는 탄생물인 것 같은데
그런데
우리는 자꾸만
내가 한계라고만 한다!

사람과 관계를 생각해보면서

자기가 필요하고 유리한 결정을 한다면서
남도 자기의 유리함에 따라 결정하는 걸 존중하지 않느냐?
그래서 내가 놓친 사람에 대한 깊은 회한이 올라와야 된다.
너무 슬픈 일이다.
만약 나와 이와 같은 관계가 되면 우리는 어떻게 할까요?
자신을 너무도 무장해서이므로
이제는 자신을 내려놓아야 한다.
그런데 자신이 슬퍼하기를 두려워한다.
이 슬픔 뒤에 이 슬픔을 안아 줄 사람이 없기 때문인지도 모른다.

힘

어디서 오는 것일까?
끝없는 심연과 확장
밀려와 산을 이루고는
다시 물에 닿기 전에
또 산을 이루는 파도
마음은 파도처럼
거대한 에너지를 품는
보이지 않는 모양이구나!
오늘 이것과
첫 만남을 이루어
신기한 기쁨으로 인사했으니
내일과 모레는
걷기 시작할 것이고
10년쯤 뒤에는...
그쯤의 힘은
세상에 영글어
한 송이 꽃의 향기로
나와 함께 있겠지!

향연

별 헤는 밤...
윤 동주 시인의
별 헤는 밤은
지금도 나에겐
그리운 얼굴들을 그리게 해주는
마음의 원형 같은 것이다
삶은 그때그때의
추억이라 했던
아버지의 술에 취해 걷던
길 위에서 던진 한마디는
아직도 그 자정을 지나 새벽 중간쯤의
시간에 하늘을 가득 채운
별과 함께한다.
학술대회 때의
같이 공부했던 이름들과
이후에 그립게 된 이름들
포천댁, 미영, 진이, 민화, 영문, 인득
그리운 사람들은

그리운 고향이 되어 삶의 향연을 열어가는
건 아닐까!

낯섦과 한 발짝

익숙한 시간과 환경은
익숙한 생각과 경험을 만들어 낸다.
낯은 생각은 새로운 경험의 시작이다.
그러면
새로운 경험은
새로운 사유를 요구하게 된다.
지금은
새로운 호기심과 실험이 설레이 듯
다가오게 해야 할 것 같다.

반면 스승들

고요히 앉아 생각하니
전체가 하나인 것 같다.
거창하게 생각한 게 아니고
돌아가신 아버지를 생각해보니
그런 생각이 든다.
그래서
모든 것이 이해가 되거나
용서하거나 하는 결론으로
귀결되게 하기 위해서가 아니라
그렇다는 것이다.
나는 나 나름으로 전체인데
그럼 나는 어떤 전체이고자 하는 것이다.
내 아버지의 삶을 평가할 수 없듯이
타인의 삶도 평가할 수 없다.
내 삶을 나답게 하기 위한
반면의
스승들이었을 것 같다.

같지만 다른

바람개비처럼 돈다.
그러나
바퀴가 돌 때마다
같은 바람개비지만
다른 바람개비가 되어 돌고
있는
것이다
삶은 윤회이나
같은 윤회가 아니다.
같은 내가 아닌 또 다른 나이다.
사람은 언제나 같은 이라 말하며
나를 지칭하나
나는 이미 다른 나를
알아차리곤
그냥
손길을 내미는 것이다
옛날에 나를 보고 있는
대상에게...

오지 않은 시간

온 만큼 오지 않은 시간이
궁금하다
형식이 내용을 기다리는
시간인 것이다
어쩌면 일정한 내용이
현재에 씨앗으로 심겨져 있는지도
모르겠다.
그렇다고 하더라도
오지 않은 시간은
내 삶 속에
포함되어있는 것이다.

이야기를 인식론적으로 생각해 보면서

혼자 생각해 가는 단상들…
실체와 매체 (사건과 관계)
언어에 의해 만들어지는 사회(이야기 은유를 사용한다)
원인과 결과-원인이 결과에 미칠 정도로 그 영향력이 강력해야 되는가?
그래서 사건이 무엇인가? 어떻게 묘사되고 있는가? 어떻게 될 것인가?

창조된 시간

기억이 다한 곳에
기억이 있고
발걸음이 끝난 곳에
허공이 시작된다.
믿지 못할 것은
내 마음의 세계이니
어찌
풍요로움이 내 마음 가운데
없다고 할 것인가?!.
스스로 돌아보아
마음을 보았다면
어딘들 가지 못할 곳이 있겠는가?
이야기란 이렇게
마음을 찾아오는 손님인가 봅니다.

삶과 선택

외롭고 애잔함이 감정에서 솟구쳐서
그 삶이 피폐하고, 끊어질 것 같이 이어져 간다면
그 주인공은 그런 삶을 원하고 있는 것일까?
그는 어떤 삶을 꿈꾸는가?
행복하고 다정한 삶을 꿈꾸는가?
그런데 그런 행복하고 다정한 삶의 모양은 어떻게 형성되는가?
그리고 그런 삶은 외롭고 애잔한 삶은
행복하고 다정한 삶의 반대 편에 서 있다고 할 수 있는가?
만나고 싶었던 삶의 형상이
따뜻하고, 감미로운 그러면서 챙겨주는 것으로 마음속에 형상되어 있다면
그것은 여러 종류의 행위들 중의 몇 개를 내가 알고 있는 것이고,
그래서 바라는 것이며
이것이 상대방의 행동에 투사되어 그렇게 해석되어지는 것이다.

집에는 방이 4개 있는데
각자의 방은 그 모양과 마음이 다르다.
나는 나의 방에서 따뜻함을 보았다. 그렇지만
그 따뜻함은
삶을 가로지르는 태도의 한 모양들이었고,
사실 이것은 생리적 인간에게 안정감을 주는 것이었다.
또 다른 방에선 후회와 연민의 생각과 태도가
또 다른 방에선 희망의 전조가
또 다른 방에선 아쉬움이 모양대로 진행되어 갈 것이다.
결국 행복이 삶의 한 모양으로 선택되어지는 것이다.
인간은(우리는) 그것을(행복을) 만들어내지 못했다고 슬퍼할 일이 아니다.
그것이(행복) 있다는 것을 아는 것이 행복한 것이다.
타자(他我) 가운데서 그것을 찾고(있다는 것을 아는 것),
진아(眞我)를 키워 나가는 것이며 결국
본아(本我)가 같이 성장하여 성불(成佛)한다.

이것은 흑, 청, 황, 적, 백으로 성장해 갈 것이다.
사람은 자극으로 감정이 형성되면서
그 자극이 나쁠 때는 유기체가 편안하게 반응할 수 있
는
형상을 꿈꾼다.
그리고 생각하고, 공부해 나간다.
그래서 환경을 무시할 수 없다.

결국엔
선택이다. 형이상학적 삶이라 하더라도 선택인 것이다.
스피노자도 기존의 형성된 신의 섭리적 질서에 얽매여
살아내어야 하는 삶이 행복한가?에
물음을 던지지 않았나 싶다. 그래서 더 좋은 삶이 있다
면
어떤 것이 있을까 고민했지 않았을까?
결국엔 담론을 고려하지 않을 수 없었다.
그리고 그 나름의 삶의 양식을 찾아내었던 것이다.
그것은 유대교의 교리적 삶이 아니었다.
그것은 범신론이었다.

슬픔

분노 밑에 슬픔이다
인간의 이중성이 이해가 안 되면 슬프다.
아버지를 신뢰하고 불쌍해서 남았는데
아버지가 폭행하고 폭언한 시간들
어떻게 처리해야 할지 모르겠다.
반 친구들
여럿 앞에서 나와 잘 지내는 듯 하지만 막상 둘이 있으면 나를 깔본다.
그 반 아이가 나에게 잘못해놓고는 담임선생님 앞에 가서는
너무도 공손하고 간이라도 빼줄 듯이 하는 모습을 어떻게 처리할지 모르겠다.
이럴 때 사람은 너무 슬프다.

4. 정체성

길과 콩나물

저자(시장)에 앉아 콩나물을 팔던 할머니가 도를 깨쳤던가?
왜 그럴까!
그는 콩나물을 팔기 위해 앉았고
종일 콩나물을 팔기 위해 말하고
생각하기 때문이다.
그래서
콩나물을 팔고 있고, 팔 수 있다.
잘 팔리면 기쁘고
안 팔리면 시간을 기다린다.
콩나물이
잘 팔리는 시간을 기다리지
다른 생각은 없다.
이것처럼
도(道)는 길이 있다.
도의 내용은 慈悲(자비)이다.
자비에 깊이 들려면 6바라밀(六波羅密)로 하고
그 思惟(사유)를 팔정도(八正道)로 하라

이렇게 하는 근본 이치가
세상 창조의 이치에 있다.
부처님이 말씀하셨다.
따라서
내가 생각해야 할 방법은 정해져 있다.
누구에게 이것을 하라고 강요할 수 없다.
내가 하고 싶은 것이니까?
도를 이루고 싶으면
그렇게 해야하는 것이다.
콩나물을 팔고 싶으면
어느 장소에 앉아
콩나물을 내어놓고
콩나물이 잘 팔리기를 염원하며
앉아 있어야 하는 것처럼
자비를 알고자 하고 실현시키려면
부처님의 말씀에 머물고, 행동하라
그게 길인 것이다.
콩나물이 잘 팔리는 길인 것처럼 자비의 길인 것이다.

내게 온 내담자는
그 자신의 삶이 복원되기를 바란다.
나는 그에게
콩나물을 팔기 위해 앉아 있는 것이 아니다.
그를 치료하기 위해 앉아 있는 것은 더욱 아니다.
그가
그의 세상을 아름답게 열어가고자 하는
그 열망에
머물기 위해 앉아 있는 것이요.
그의 삶이 그로 인하여
그 자신이 열망한 방법으로 복원되기를 기원하면서
마주하는 것이다.
어느 사람이 웃고 있었다.
또 다른 사람이 묻기를
왜 웃느냐고?
그 사람이 말하길
그러면 울란 말인가?
세상의 일이다.
웃을 수도 울 수도 있다.

예술 감각

시인은 씨앗을 손바닥에 올려놓고
새소리를 듣는다.^^
엄청난 상상력입니다.
참으로 문학에 푹 빠지게 합니다.

흐르는 시간

시간이 흐르는 걸까!
흐르는 시간인 것일까!
시간은 나와 관계가 없는
객관적인 물질인데
나와 관계를 맺는 것일까?
이러한 물음들은
이미 많은 철학자들에 의해
정리되어 있어 다시 내가 생각해보지
않아도 되겠지만...
시간 가운데에 위치해 있어
시간과 함께 흐르면서
경험을 만나게 되니
그 경험이 때로 생소하고
때로 생소한 이 경험을
유지해갈까에 대해서도
고민하게 된다.
어쨌든
나 자신의 삶이 보다 의미 있고

행복할 수 있는 쪽으로 시간과
함께 하고 싶다.

생각해보면

지구는 빠른 속도로 움직인다고 하는데
몸으로 느낄 수 없다.
생각해 볼 뿐이다.
그러나
지구가 빠른 속도로 움직이는 건
사실일 것이다.
어릴 적 유물론에 대해 생각하기를
마음이 먼저지 어찌 물건이나 물질이
라면서 가당찮게 여겼다.
생각이었다.
그런데 존재가 의식을 결정한다는
맑스의 생각도 틀린 것만은 아닌 걸
지금은 생각을 떠나 느낀다.
그런데
존재가 의식을 결정하기 전에
인간의 주체적 창의성이 개입된다는
발터 벤야민의 생각도
참으로 소중히 느껴진다.

세상은 우주적 차원으로
변하고 있다.
기술은 너무도 빠르게 변하여
삶을 집어삼키듯 물질 속으로 빨려들게
한다.
생각을 해볼 여유도 없게 만드는 듯하고
생각의 찌꺼기만 잡고 있는 듯하다.
마치 태양을 떠난 빛이 지구에 닿을 때
이 빛이 태양의 빛이라.
생각하는 것처럼
그래도
생각해야지 왜?
인간답게 살기 위하여

보슬비

자연이 주는 선물이자 대화
제목 : 보슬비
오늘, 흐린 아침에
보슬비가 보슬보슬
하루도
보슬보슬하게 흐르면 좋겠다.^^
한 번씩 비는 내리겠지요.
그땐 또 다른 방식으로 소통해볼까!

시간을 생각해 보다.

누군가에게 적어준 글인데
읽고 나니 왠지 마음이 편안해 오길래...
"하늘은 맑고
바람은 시원하다
점심은 맛있게
마음은 가볍게
그러나
....
잘 지내고 있는지
궁금하구나!^^
잘 지내라
소중하지 않은 시간이 어디에 있으랴?
개미에게도
고양이에게도
돌에게도
바람에게도
모두 다에게도
시간은 소중하지

언젠가 선물을 가져다주기 때문인지 모를 일이기 때문에?"

빵 내음

아침 바람이 찹습니다.
뒷길을 돌아 잠시 걸으니
빵 굽는 향이 그윽이 다가옵니다.
시인이 이 향기를 맡으며
정다운 사이에서 소담스런 이야기 광경을 떠올리는 시상이 될 수 있겠고
가난한 고호 같은 화가에겐
애잔하고 고단한 삶의 의미를 되새기게도 할 수 있겠지요.
나에게는 잔잔한 물결 같은 짐 내려놓은 한가함 같은 기분입니다.
이 빵 냄새를 뒤로하고 하루를 준비해야겠습니다.

생각지 못한 생각

하지만 가끔은 생각지도 못한 누군가가
누구도 생각지 못한 일을 해내는 거야.
이미테이션 게임에 나오는 대화에 깊이 감명을 받는다.

작은 생각

아름다운 삶이란 게 있었을까?
아니다라는 게 나의 생각이다.
섭리가 처음부터 있었을까?
아니다라는 게 나의 생각이다.
그럼 무엇인가?
시간이 섭리를 창조하고 창조된 섭리가 거대 섭리를 재창조하는 것이 아닐까!
이런 생각은 내가 내 삶을 어떻게 살아가야 되는가에 대한 약간의 답이 된다.
인간인 나는 섭리를 알 수는 없지만
느낄 수 있다. 이 느낄 수 있는 힘이 나의 생각과 행동의 기준이 될 수 있다.
도덕적 선이 아니라 섭리에 기초한 선을 살아내는 것이다.
섭리에 기초한 선이란 내가 살기위해 남을 해치지 않는 삶이 아닐까?
이 선을 어떻게 이루어 낼 수 있을까?
이 사바세계에서?

소리 없이 피고 지는 들꽃에게 지혜를 구할 시간인가?
인격을 생각해보면서 인격의 실현을 마주하길 기다린다.
인격은 실현되기를 기다리고 있을지 모른다.

그 참

그 참
그렇네.
왜 몰랐을까!
모르는 게 아니었던 것이다.
그냥
더 좋은 어울림을 만들고자 했던 것이다.
그것이 아니라 해도
그 참
그렇다면
지금은 내 삶을 꿈꾸고
내 삶은 만나 보는 것이다.

향기

어디쯤에선가
어딘가
출발점이 있었을 것인데...
굳이 찾으려 아니하고
지금
그 향기를 느끼려 한다.
내 곁을 지나간
향기는 어디에 머물게 될까?
모를 일이다.
어느 날
지혜가 되어 내게 나타나길
막다른 골목에서 기다릴까 한다.
그때쯤에는
누가 나를
상담사라고 이름 부쳐줄 것 같다.
나는 또 다른 삶 하나를 경험하게 되는 것이겠지!

세월에게

무슨 꽃인가?
잠시 발길을 멈추게 하길래
바라보니
개나리였다.
무뎌진 정서를 가다듬고 보니
목련이 피어 있고
그 옆 참꽃도 피어 있더라!
봄이 또 이렇게 와 있구나! 싶다.
점심 먹고
익숙한 산책길을 걷는다.
슬픔 끝에 왜 슬픔이 남는지 모르듯이
마음 아파본 사람은
아픈 마음을
소망처럼 기다렸다는 듯
빨리 아파하려고 하는지 모를 일이다.
잘 지내지?

만남과 멀어진 ○○

시인은 시인대로
철학자는 철학자대로
디자이너는 그들대로
길을 가고 있을 텐데...
길이 있는 걸까?
길은 잃어버려진 걸까?
누구도
그건 길이 아니라고 한다.
길은
처음엔 있었던 걸까?
나중에
만들어진 걸까?
세상이
길을 잃고 있는 건 아닐까?
사람과 자연이
대화를 잊고
사람은 사람 아닌 사람과
대화를 하고 있는 것 같다.

가을바람

가을바람이다.
이른 아침과 늦은 밤의 바람이
"내가 가을바람이라고 말한다."
나는 세월을 읽는다.
그리고
나이를 되돌아본다.
그렇게 살아왔구나!
그렇게 살겠구나!
혹 뜻하지 않은 횡재수를 만나도
꿈꾸던 삶이 아니라면
결국엔
신나지 않을 것 같다.
우리네 삶은 어딘지 모를
자기만의 향수를 찾아
살아가는 게 아닐까!

사람의 마음으로

사람의 마음으로
사랑하지 마라
사람의 마음은
때로 편협하고
때로 질투하고
때로 미워하고
때로 변덕스럽고
때로 모질고
사람의 마음으로 사랑하지 마라
흐르는 물의 마음으로
부는 바람의 마음으로
내려오는 빛의 마음으로 사랑하라

어느 계절
어느 시간에
내게 다가올 마지막 느낌이
한 올이라도 걸림이 없이
세상과 작별할 때
마음에 짐이 없고자 한다면
사람의 마음으로 사랑하지 마라.

삶과 죽음

(죽음을 대면하여 얻어질 삶의 내용)
삶이 죽음과 맞닿아 있는 듯하지만
꼭 그렇지는 않은 것 같습니다.
죽음을 바라보는 삶의 시선에는
죽음의 내용보다
삶의 내용이 무엇으로 이루어져 있는지를
보게 하는 역할을 알아차릴 수
있기 때문입니다.
각 사람이 가진 인격들을 대면하면서
나의 인격의 내용을 발견하고
나답기 위해 채워야 할 것을 찾고
채우고 그리고 그 채운 것이
어떻게 움직여질까에 대한
기대감까지에 집중해 들어가서
내 삶을 보게 된다면,
내 삶의 내용들을 경이감을 가지고 바라보게 될 것 같습니다.

어디에 어떻게 닿게 될지 몰라도
그 닿는 자리는 내 삶의 내용들로 채워져 있을 겁니다.

만남 그리고 웃음

시간이 흐르고
마음은 허전해져 가고 있었다.
옛날 이차 함수를 배울 때
근을 찾는 공식을 부지런히 외우고
그리고 y=f(x)에서 그 공식에 대입하여
답을 찾곤 했다.
이차 함수의 근은 변곡점을 이야기한다.
미분이 0이 되는 지점이다.
그리고 이곳을 기준으로 상황이 반전된다.
우리의 삶에서는
시간의 흐름은 자연스럽게
상황을 변경시켜주는 반전 역할을 하는 것 같다.
점점 멀어져가는 마음이었는데
다시 무어라 할까!
정이 흐르고 마음이 이어지고
또 다른 만남이 시작되는 그래서 새로운 미지의 경험을
시작할 수 있는 시간이 된다.
모를 일이다. 미래의 시간에 대하여

겸손한 삶을 살아갈 수 있기를
스스로 기도해 본다.

아쉬움

아쉬움은 삶과 함께
늘 도처에 가득하다.
그 아쉬움들
시간이 지나니
왠지 모를
애잔함으로 바뀐다.
단지
애잔함을 채운 마음만
모를 뿐이다.
이 애잔함을 어떻게 화해해야 할까!

5. 서신

친구가 있습니다.

친구가 있습니다.
내가 이론 공부를 열심히 해갈수록 한 번씩 잿가루를 뿌리겠다고 선언을 했답니다.
내 친구는 요즘 부처님 교리를 열삼(?)히 하고 있습니다.
근데 부처님을 닮아가려고 않나 봅니다. 왜냐면 "친구를 괴롭히는 재미를 터득한 것 같거든요."
이글을 알게 되면 전설의 동물 '불가사리' 처럼 더 강력한 선언을 할지 모릅니다.
왜냐하면 내 친구는 무한 긍정적인 성품이라서 나의 이런 말을 즐겁게 받아 줄거거든요.

사실 지하철 교육받으러 가는 유리창에 비친 내 모습이 내게 많은 생각을 하게 해주었답니다.
살아온 날과 살아갈 남은 날과 만났던 사람과 만나고 있는 사람 또 만나야 할 사람 이쯤 되면 난 생각이 참 많은 사람인가! 봅니다. 오늘 하루 각자 있는 자리에서 생명의 존엄함을 마음껏 즐기다가 편안한 저녁 휴식을 만납시다.

친구 생각

친구야^^
잘 지내고 있나?
봄이 왔는데 조금 추운 아침이다.
딸은 더 좋은 생각을 했는지 궁금하다. 나도 생각을 하는데
이거다 하는 생각이 안 떠오르네
대구에 가려고 나섰다.
기억이 조금씩 사라져가는
어머니의 정감 어린 배웅을 받으며 나서는 나의 눈에 눈물이 고인다.
낯은 생각은 새로운 경험의 시작일 수 있으나
늙은 어머니에게 낯은 기억력의 상실들은 공포에 가까운
불안 같은가 보다.
잘 지내다가 커피 한잔 마실 시간을 만나자^^
아침 바람이 찹다.

비에 관한 사색

상념이 바뀌었습니다. 바뀐 상념에서 전 사색을 시작합니다.
생각 속에서 무엇을 찾으려구? 내게 물으면 사람에게 귀한 건 무얼까!
이미 성현이 그 답을 찾아준 지 오랜데 나가서 찾기만 하고 실천치 않으니…
행복 합시다.
삶과 죽음 사이에서 까지도요.

새벽 전철

비가 내린다.
사랑이 내린다.
가방 가득히 담아서
새벽을 열고 걷는다.
개선행진곡의 나팔과 함께
전철이 들어온다.
마음은 어디에서 싸워서 돌아온 게 아닌데
낮은 감정을 느끼지만
비 소리가 이젠 예전처럼
슬프지 않다.
마음은 어딘가에 뿌리를 내려야 한다.
그러나 유연했으면 싶다

잘 지내시지요?

문득 카페를 둘러보다가
선생님의 카페에도 들리기 됐네요.
열심히 활동하고 계시는군요.
오는 가을처럼 선생님의 마음 또한
점점 깊어져 가고 있음을 알게 됩니다.
고개가 숙여지네요.
보고 싶네요.
전화 한 통화 해주세요.
제가 핸드폰을 분실해서요.
번호도 없습니다.
명절 잘 보내시고요.
곧 뵙길 바랍니다.

갔는가?

갔는가?
갔다고 하기엔 내겐 있지 않는가!
뭔 말을 하고 싶냐고 묻겠지?
내가 여기에 있다고 말하고 싶다.
그게 무슨 의미가 있느냐고 말하고 싶겠지?
그냥 있다는 것이다. 친구야!
그냥
내가
친구 옆에 있다는 것이지
내가 너무 있고 싶은데
친구는
내보고
왜 있고 싶냐?고 물으니 내가 할 말이 없다.
그냥 있고 싶은데
그냥 있으면 안 되나?
돈을 달라는 것도 아니고
밥을 달라는 것도 아닌데
그냥 잠시 있다 갈 건데

나 보고
왜 있고 싶으냐고 물으면
그냥 좋아서
라고 말할 게 없는데!!!!
그러면 친구는 내게 다시 물을 거 아닌가?
이런 게 어딨노라고
사랑한다. 인간의 마음으로 그냥 더 다른 것도 없는데
나보고 다른 거 이야기하라고 하면
할 이야기가 없다.
그냥 보고 싶다고 라고 할 수밖에 없단다.
친구니까 친구이니까
나보고 더 무엇을 말하라고?
그냥 보고 싶다는데
나보고
왜 보고 싶냐? 고 묻지 마라.
그게 친구 아닌가?
다음날 만나지 못해도
축복해 줄 수 있는 마음

그렇게 하려구
친구를 사귄 거 아닌가?

와도 이야기가 없다기에

와도 이야기가 없다기에
그렇네요.
영~
만들어 놓고는
어떻게 할지를 몰라 긴 시간 비워두었네요...
요즘
뇌병변장애인 집단상담을 하고 있습니다.
할 수 있을까 걱정을 많이 했는데
아름다운 영혼을 만나고 있습니다.
하면 해진다는 옛 말도 생각나고
아마 집단이 끝나면
참 따뜻한 시간으로 남아
오랫동안 보고 싶을 것 같습니다.

타자의 얼굴

윤리학적 현상학의 레비나스가 사용한 용어인데 타자는 그 자체로 존귀하다.
그가 불완전하게 보이는 것은 전적으로 나의 책임이다."라고 말하면서 사용한 용어라네요.
전 너무나 깊은 감명을 받았답니다. 그렇게 살지는 못하겠지만 지혜의 지평을 열기 때문입니다. 한강 위 안무가 자욱히 깔려갑니다.
추억을 안고 내려갑니다.
항상 사람과 자연에 고맙고 미안한 마음으로 살고자 노력하면서 가고
있습니다.
만나게 될 시간을 남겨두고서...
철학자 레비나스의 책을 읽고는 느낀 감동을 친구에게 적어 보내 친구와 감동을 같이 나누고 싶었던 시간입니다.

지혜를 만났군요.

지혜 하나를 만나셨네요.
“조금 늦어도 되고 남아서 좀 더 하고 가면 되고”
자기 존중과 도전을 위한 노력으로 표현하고 싶습니다.
이런 걸 발견하는 것이 지혜입니다.
제가 왜 이렇게 기쁠까요! 동산에 오르면 산들바람만
있는 게 아닙니다.
초가집도 보이고 꽃향기도 있구요. 넉넉함도 있어요.
수원으로 가는 길이 너무 짧게 느껴집니다.
교수님은 멋지게 해낸 모습을 스스로 보게 될 겁니다.
한동안 문자 상담을 많이 했답니다. 능력이란 것이 남
에게 비난을 받지 않아야
한다는 중압감으로 가득했던 교수님이 자신의 마음을
발견한 문자를
보내오셔서 같이 기쁘하였던 시간이었습니다.

사람의 정한 마음이지요.

맞습니다. 그렇지 않다면, 그게 사람 마음이겠습니까!
멀리 있는 딸에 대한 그리움.
내가 살고 싶어 했던 꿈에 대한 향수
이 모든 것들은 우리들 마음 한 결을
짠~하게 합니다.
그래도 샘 이 모든 것들을 자기 자성에서 봐야만 마음
이
건강해집니다.
샘을 지지하는 친구 사문 유경태
(같이 공부했던 미술치료 상담 선생님이 몸이 아프게
되어 영국으로 유학
가서 공부하고 있는 딸에 대한 그리움을 못내 다 표현
하시지 못하고
울먹거리시는 목소리로 전화를 끊으시길래 보내 본 편
지입니다.)

6. 집단상담을 열면서

먼저 사건과 증상 그리고 해석에 관련된 집단상담을 해봅시다.

우리는 생각할 수 있고 사리를 통해 분별을 잘 할 수 있습니다. 즉 무엇이 올바른 일인지 어떤 것이 틀린 것인지 알고 무엇이 좋은지 그리고 어떤 것이 나쁜지를 압니다.

그런데 이상하지 않습니까?

삶이 행복하지 않다고 말하는 사람도 있습니다. 이렇게 옳고 그름과 좋고 나쁨을 잘 분별하여 살아오면서도 왜 그럴까요?
그것은 성 내지 합리성만을 가지고 살아갈 수 있는 것이 아니라 느낌, 정서, 정감 등 감성의 영역에서 너무 많이 마음이 상처받아져 있기 때문입니다.

.

혹은 마음을 너무 다쳐서 이제는 다시 들여다볼 자신이 없어 머리로 대충 정리해 놓고 있는데 그래서 이 힘든 마음을 나 자신도 모르는 마음 한쪽에 잘두었는데 내가 보기에 잘 정리된 이것이 다른 누군가(상담사)는 정리된 것이 니라고 하니 어쩌면 여러분은 더 혼란스러운지도 모르겠습니다.

저는 이 집단상담을 통하여 여러분이 내가 노력, 성실, 책임 등등이 중요하지 않다고 계속 말하는 것으로 짐작하여 오히려 헷갈려하거나 그러면 어떤 것이 좋다는 말인가? 노력하지 않아야 되나? 등등 의문을 갖게 되지 않을까 염려가 됩니다.

여러분 노력, 성실, 책임 정말 중요합니다. 착하다. 배려 있다. 끈기 있다. 용감하다. 모두 모두 중요한 것들입니다.

그런데 어떻게 성실해야 하고 어떻게 배려해야 하고 어떻게 용감해야 하는지 알기도 하고 알 수가 없기도 해서 마음을 어떻게 사용하고 다루어야 하는지 힘이 들거나 상처를 입게 되는 경우가 있습니다. 이런 것이 왕왕 나의 상처가 되어 긴 시간 나를 괴롭히고 힘들게 하면서 때로는 약으로도 도움을 받고 또는 누군가의 따뜻한 위로를 통하여 도움을 받기도 하지만 쉽지는 않습니다.

그래서 저도 마음을 잘 다루는 것이 무척 어려운 줄 알지만 우리 함께 노력이나 성실 등을 같이 생각해보고 여러분의마음을 여러분답게 다루어서 여러분다운 성실, 여러분다운 책임을 경험할 수있기를 바라는 마음입니다.

이런 경우는 어떨까요?

어떻게 하는 것이 부지런한 것이냐? 물으니 아침에 6시에 일어나 일을 시작하면 부지런하다고 했더니, 다음날부터 아침 6시에 일어나는 것만 하고는 아무것도 하지 않는 것입니다. 아침에 6시에 일어나는 것은 부지런한 것이 맞지요.

그러나 그 한 가지 행동을 한 것을 부지런하다고 하지 않지요. 그리고 어떻게 하면 만족한 것을 알 수 있느냐고 물어서 만약, 노력했다면 결과와 상관없이 만족하면 된다고 말을 하니 그때부터 결과가 없어도 나는 노력했으니 자신을 비난하지 말라고 합니다. 그러면서 네가 노력했다면 만족하라고 했으니 나는 만족한다. 그러니 나를 비난하지 말라고 합니다. 자신이 그렇게 들었다고 그것이 답이라고 하여 끝까지 주장하면 서로 마음을 다치게 됩니다.

따라서 우리가 지금 해가고 있는 것은 착하다. 온순하다. 성실하다라는 이것을 우리 삶에서 잘 다루는 연습을 해나가자는 것입니다. 여기에는 다음과 같은 것도 포함하고 있습니다. 사실 내가 더없이 착하다고 한다면, 다른 사람이 나의 이 착한 마음을 이용하게 하면 자신의 목적에 사용하게 해서는 안 되게 하여야 합니다. 이 착함을 스스로 지켜내고 방어해야 됩니다.

즉 착함을 이용하려는 사람에게 당신이 요구하는 것은 내가 할 수 없고 또한 그런 일은 해서도 안 되는 일이니 그런 부탁이나 요청 내지 제안은 나에게 하지 말라고 해야 한다는 것입니다. 그래야만 나의 착함을 상대방으로부터 지켜내어 내 착함으로 여러 사람들이 같이 행복해질 수 있는 길을 열 수 있답니다.

지난주 원장님이 질문을 하셨습니다.

10개를 작업 해야되는데 8개로 마무리해 놓았다면 성실하다고 할 수 있습니까? 라는 질문이 있었습니다. 그러면 마무리되지 않은 2개를 다른 사람이 해야 하고, 만약 그것도 안 되면, 다른 사람을 다시 채용하여 일을 완성해야 되는데 그렇게 되면 기업은 목표 중 하나는 이익을 추구해야 하는 것에 있는데 결국 그 사람으로 인하여 기업이 손해를 계속 보게 되거나 다른 누군가가 대신 노동의 양을 늘려야 합니다. 맞습니다.

만약 자신으로 인하여 손해를 보게 된다는 것을 알게 되면 그렇게 되지 않도록 하기 위하여 최선을 다하거나, 책임을 다하려고 하겠지요. 물론 그렇게 하였음에도 불구하고 10개의 결과가 나오지 못하면 그것을 요구하는 회사와 나와의 관계는 또 다른 부분으로 다루어 보아야 하는 경우이겠죠.

그런데 오늘 우리가 집단상담에서 다루고 싶은 것은 우리가 어떤 상황으로 인하여 마음에 상처를 입게 되는 경우가 있는데 위의 예를 들면 나는 10개를 생산해야 하는데 8개를 생산함으로 인하여 관리자가 나보고 ‘너는 왜 그렇게 게을러’라는 말로 인해 받은 상처라고 말할 때 이 상처의 내용이 내가 나름대로 성실하고 책임을 다했는데 나의 성실과 책임을 질책하고 나무라고 비난함으로 인하여 생긴 마음이 상처를 입게 되는 경우가 있다는 것입니다. 필연씨 경우가 그렇다고 볼 수 있지요. 이렇게 입은 상처는 성실과 책임을 다루어 낼 수 있어야만 마음의 아픈 짐들이 들어지는데 이게 혼자 생각하고 정리하기에 참 힘이 듭니다. 반드시 누군가의 도움이 필요하고 그럴 때 우리는 관계의 필요성과 중요성 생각하게 됩니다.

하지만 또한 나는 나의 독자성을 존중하는 길도 걸어가야 합니다. 삶을 돌아보면 그동안 나 자신이 가치롭다고 여기고 있었던 '노력한다는 것, 성실해야 된다는 것, 책임감이 강해야 한다는 것이' 사실은 어떤 일을 해내는 것이 아니었다는 것을 종종 알게 되는 때가 있습니다. 노력, 성실, 책임과 이외에 따뜻함, 유머, 동행이 더 소중할 때가 많다는 것을 알게 된다는 것이지요.

우리는 모두 자신의 길을 걸어가야 합니다. 길 밖이나 길 아래로 걸어갈 수 없습니다. 즉 물 위를 걸어갈 수 없고 공중에서도 걸을 수 없습니다. 어떻게 길 위에 설 수 있을까요?

그리고
길을 벗어나게 하는 요소들은 무엇일까요?
여러분들이 발견한 길들은 어떤 것이 있습니까?
결국 이 길은 직업을 말합니다.
직업은 곧 선택을 말을 합니다.
우리는 선택을 해야 한다는 것입니다.

동물은 선택이 필요 없습니다. 그냥 장미꽃이면 되고, 수선화면 되고 공룡이면 되고 호랑이면 됩니다. 그것이 되면 장미꽃은 빨강이며 향기가 있고, 수선화는 하얀색이고 호랑이는 독립생활을 합니다. 그런데 사람은 무엇을 할 것인가를 선택해야 합니다. 꽃이 아니고 호랑이가 아니고 사람이기 때문에 4가지 분야에서 한 가지를 선택해야 합니다. 그 선택이 곧 길에 들어서는 것입니다. 4가지 분야는 사, 농, 공, 상이라는 큰 틀을 말합니다.

오늘은 여러분이 들어섰던 길에 대하여 이야기를 나누어 봅니다.
아니면 들어서고 싶은 길에 대해 이야기를 해봅시다.
대구 갔다 오신 선생님부터 이야기 해봅시다.

7. 긴 시의 시간을 맺음하면서

우리가 살아가는 날 예기치 않게 곤란한 일을 당할 때가 있습니다. 그것은 금전적일 수도 있고, 이별일 수도 있고, 도전에 대한 좌절일 수도 있고 사람의 사정과 환경에 따라 수많은 곤란함이 있을 것입니다. 어떤 아픔들 앞에서 간절한 마음에 대한 답들이 기적처럼 우리에게 올 수 있기를 기원하면서 마치 시의 한 구절처럼 잘 표현이 된 삶의 모습을 여기 가져왔습니다.

추운 이가 불을 얻음과 같으며(如- 寒者得火),
헐벗은 이가 옷을 얻은 것 같으며(如裸者得衣),
아이가 부모를 만남과 같으며(如-子得母),
물 건너는 이가 배를 만남과 같으며(如-渡得舩),
병난 이가 의사를 만남과 같으며(如-病得醫),
어두울 적에 등불을 얻음과 같으며(如-闇得燈),
가난한 이가 보물을 얻음과 같으며(如-貧得寶),
횃불이 어두움을 없앰과 같듯이(如-炬除闇).
마치 서늘한 못이 모든 목마른 이를 만족케함과 같듯이
(如- 淸涼池하야 能滿一切- 諸渴乏者며),

우리의 삶의 여러 곳에서 기적이 우리와 같이하고 있음을 확인하는 시간들이 모두에게 주어지기를 기원합니다.